好朋友 Friends 汉语分级读物 Chinese Graded Readers

For Kids and Teenagers

Level 5 五级

Music in Nature

大自然的音乐

孔子学院总部/国家汉办 编

北京语言大学出版社
BEIJING LANGUAGE AND CULTURE UNIVERSITY PRESS

图书在版编目 (CIP) 数据

大自然的音乐 / 孔子学院总部 / 国家汉办编 . —
北京：北京语言大学出版社，2015.2
（好朋友：汉语分级读物 . 五级）
ISBN 978-7-5619-4133-1

Ⅰ . ①大… Ⅱ . ①孔… Ⅲ . ①汉语—对外汉语教学—
语言读物 Ⅳ . ① H195.5
中国版本图书馆 CIP 数据核字（2015）第 034230 号

书　　名：大自然的音乐
DAZIRAN DE YINYUE
责任印制：姜正周　　练习编写：倪佳倩
英文翻译：孙齐圣　　插图绘制：孙　屹

出版发行：北京语言大学出版社
社　　址：北京市海淀区学院路 15 号　　邮政编码：100083
网　　址：www.blcup.com
电　　话：发行部　82303650 / 3591 / 3651
编辑部　82301016
读者服务部　82303653
网上订购电话　82303908
客户服务信箱　service@blcup.com
印　　刷：北京画中画印刷有限公司
经　　销：全国新华书店

版　　次：2015 年 3 月第 1 版　　2015 年 3 月第 1 次印刷
开　　本：710 毫米 × 1000 毫米　1/16　印张：3.75
字　　数：24 千字
书　　号：ISBN 978-7-5619-4133-1 / H · 15021
03900

亲爱的朋友：

你好！

“好朋友——汉语分级读物”是我们为广大汉语学习者奉上的一份礼物，在这里，你可以用汉语读到自己熟悉的文化，你可以根据自己的汉语水平选择难度级别合适的读物，你还可以随时随地听读这些故事，汉语学习在这里变得亲切、简单、有效。

多元文化：这套读物的原始素材主要来自国家汉办举办的首届“孔子学院杯”国际汉语教学写作大赛的获奖作品，我们挑选了来自40个国家的作品，当你读到自己熟悉的文化，是不是觉得更加亲切呢？除此之外，你还可以用汉语了解其他39个国家的见闻，这是多么有意思的事情啊！

分级阅读：这套读物共6个级别，语言难度和词汇量分别对应新汉语水平考试（新HSK）1–6级。你可以根据自己的汉语水平选择难度级别合适的读物。

随时听读：这套读物配有录音MP3和可供免费下载的音频文件，让你有效利用碎片时间，随时随地听读有趣的故事，让阅读的乐趣无处不在。

感谢孔子学院总部暨国家汉办的大力支持和帮助，使得这套读物顺利出版。

编者

Dear friends,

Friends—Chinese Graded Readers is a gift for Chinese learners, where you can read familiar culture in Chinese, choose the appropriate reading materials of different levels according to your language proficiency, and listen to and read these stories anytime and anywhere. In these books, learning Chinese becomes habitual, simple, and effective.

Multicultural: The raw materials of these readers mainly come from the award-winning works in the First "Confucius Institute Cup" International Chinese Language Teaching and Writing Contest held by Hanban. Works from 40 countries are included in these books. Won't you have a more cordial feeling when reading about the culture you are familiar with? In addition, you can read about the experiences in 39 other countries in Chinese, which will also be a fun learning experience.

Graded Reading: The series of readers consists of six levels with their grammar and vocabulary corresponding to Levels 1–6 in the New HSK Syllabus. You can choose books of a certain degree of difficulty according to your own level of Chinese proficiency.

Listen and Read Anytime: Each reader comes along with an MP3 CD as well as online audio files for free downloading, enabling readers to make use of fragments of time to listen to and read interesting stories, thus making the fun of reading everywhere.

We hereby would like to extend our gratitude to the Confucius Institute Headquarters (Hanban) for the great support and help we are given to successfully publish this series of readers.

The Compilers

英文缩写 Abbreviations	英文全称 Grammatical Terms in English	中文名称 Grammatical Terms in Chinese
n.	noun	名词
p.n.	proper noun	专有名词
v.	verb	动词
adj.	adjective	形容词
num.	numeral	数词
m.	measure word	量词
pron.	pronoun	代词
adv.	adverb	副词
prep.	preposition	介词
conj.	conjunction	连词
part.	particle	助词
int.	interjection	叹词
ono.	onomatopoeic word	拟声词

大自然的音乐
Music in Nature............... 2

嫦娥与阿姆斯特朗
Chang'e and Armstrong............... 6

我最喜欢的报纸
My Favorite Newspaper............... 11

我的中文学校
My Chinese School............... 16

晚上的光明
The Light in the Night............... 21

可爱的青蛙
The Cute Frogs............... 26

和朋友过春节
Spending the Spring Festival with Friends............... 31

最难忘的旅行
The Most Unforgettable Trip............... 36

我爱熊猫
I Love Pandas............... 42

小白球背后的故事
The Story behind the Small White Ball............... 47

大自然的音乐

Music in Nature

圆圆　蒙古国育才中学广播孔子课堂

01

周围都是大树，脚边长出了嫩嫩的绿草，闭上眼睛，我听到了大自然的音乐。

我躺在草地[1]上——不要说话，因为大自然的声音要用心去听。小花对小草说:“你的衣服真漂亮，绿绿的，我喜欢。”小草回答:“谢谢，你的裙子也很漂亮，真可爱。”河水和大树在唱歌，风姑娘热情地为它们演奏[2]音乐。小鸟在快乐地叫着，像是在说:“小河哥哥、大树爷爷，我

1. 草地 cǎodì n. grassland

2. 演奏 yǎnzòu v. to play (a musical instrument)

也很想和你们一起唱歌！”

在这快乐的歌声中，小花和小草开始跳舞，蝴蝶和蜜蜂也飞过来了。突然，一只小狗也叫了起来，它也想唱歌吧。天空中，太阳爷爷微笑地看着这一切。

在大自然的音乐中，我好像也变成了一根草、一朵花、一棵树，在风中跳舞，在风中歌唱。

练习 Exercises

一、选出正确答案。Choose the right answer.

__1__都是大树，脚边长出了嫩嫩的绿草，闭上__2__，“我”听到了大自然的__3__。小花和小草在__4__，河水和大树在唱歌，风姑娘热情地为它们演奏__5__。

1. A. 周围　B. 下面　C. 里面　D. 上面
2. A. 眼睛　B. 眼镜　C. 嘴　D. 耳朵
3. A. 噪音　B. 音乐　C. 味道　D. 感觉
4. A. 说话　B. 采访　C. 报告　D. 打听
5. A. 钢琴　B. 跳舞　C. 唱歌　D. 音乐

二、选出正确答案。Choose the right answer.

1. 大自然的声音要用（　　）去听。
   A. 眼睛　B. 嘴　C. 心　D. 头
2. 小花夸小草的（　　）漂亮。
   A. 裙子　B. 衣服　C. 帽子　D. 扇子
3. 河水和（　　）在唱歌。
   A. 小花　B. 小草　C. 大树　D. 小鸟

4. 蝴蝶和（　　）也飞过来了。

A. 小狗　　B. 小草　　C. 小花　　D. 蜜蜂

5. 天空中，（　　）微笑地看着一切。

A. 小鸟　　B. 蜜蜂　　C. 风姑娘　　D. 太阳爷爷

三、说说你是怎样保护大自然的。

Talk about how you protect the nature.

嫦娥[1]与阿姆斯特朗[2]

Chang'e and Armstrong

高嘉慧　美国旧金山州立大学孔子学院

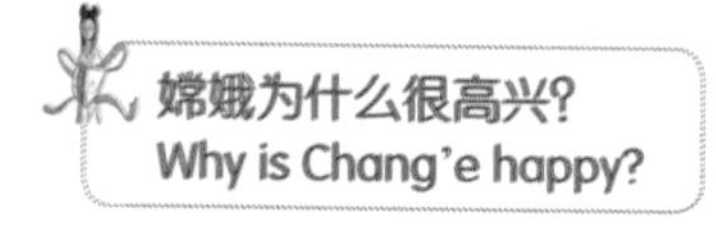

很多人都知道嫦娥奔[3]月的故事，可是有谁知道后来发生了什么吗？

1. 嫦娥 Cháng'é p.n. Chang'e, Chinese goddess of the moon
2. 阿姆斯特朗 Āmǔsītèlǎng p.n. Neil Armstrong
3. 奔 bèn v. to run, to rush

嫦娥在月亮上生活了几千年，身边只有一只兔子陪着她，她非常寂寞："兔子，告诉我，我会不会永远困在这个地方？每天都这样寂寞，即使是永远活着也不会幸福啊。"

忽然，嫦娥听到了一声巨响！她跑过去一看，原来是太空船[4]。嫦娥很激动，是不是今天终于有机会可以改变这一切了？这时嫦娥看到一个奇怪的人，他穿着一件厚厚的衣服，戴着大大的帽子。他说："这是我的一小步，却是人类的一大步。"这个人就是著名的宇航员[5]阿姆斯特朗。

嫦娥对阿姆斯特朗说："你可以帮我吗？我在月亮上生活了几

4. 太空船 tàikōngchuán
n. spaceship

5. 宇航员 yǔhángyuán
n. astronaut

千年，我现在只想回家。”阿姆斯特朗说：“没问题！我们一起回地球！”嫦娥高兴得不得了，因为她终于可以开始新生活了。

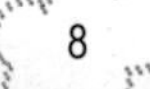

练习 Exercises

一、选出正确答案。Choose the right answer.

嫦娥在月亮上生活了几千年，她非常＿1＿。有一天，嫦娥看到了阿姆斯特朗，她很＿2＿，觉得终于有＿3＿可以改变这一切了。＿4＿，嫦娥和阿姆斯特朗一起回到地球了，＿5＿可以开始新生活了。

1. A. 寂寞　B. 安静　C. 幸福　D. 激动
2. A. 悲观　B. 寂寞　C. 不安　D. 激动
3. A. 时间　B. 想法　C. 能力　D. 机会
4. A. 最后　B. 开始　C. 突然　D. 最初
5. A. 最后　B. 但是　C. 最终　D. 终于

二、选出正确答案。Choose the right answer.

1. 谁陪着嫦娥住在月亮上？（　　）
   A. 小猫　B. 兔子　C. 猴子　D. 小狗
2. 嫦娥听到了一声巨响，然后她看到了什么？（　　）
   A. 地震　B. 放鞭炮　C. 太空船　D. 大风
3. 嫦娥看到阿姆斯特朗时，觉得他怎么样？（　　）
   A. 很奇怪　B. 很好看　C. 很难看　D. 很开心
4. 嫦娥在月亮上生活了多长时间？（　　）
   A. 几年　B. 几百年　C. 几千年　D. 几万年

5. 根据故事，嫦娥和阿姆斯特朗最后可能去哪儿了？（　　）

A. 两个人一起在月球上生活

B. 两个人一起回地球了

C. 阿姆斯特朗一个人回地球了

D. 不知道

三、说说你知道的神话故事。
Talk about the myths you know.

我最喜欢的报纸

My Favorite Newspaper

朱世豪　法国欧洲时报文化中心孔子课堂

"我"妈妈为什么给"我"订报纸?
Why does "my" mother subscribe to the newspaper for "me"?

03

我最喜欢的报纸是《日报》[1]，它是专门给十到十二岁小孩看的。一年前妈妈觉得我的阅读能力太差了，就给我订[2]了这份报纸。

这份报纸里有很多新闻，也有很多故事，都很有意思。每天还有两个笑话和第二天的天气情况，以及太阳升起和落下的时间，内容非常丰富。

每天我都用妈妈的钥匙打开信箱[3]，然后和我弟弟两个人

1.《日报》《Rì Bào》 p.n. *Daily*, name of a newspaper

2. 订 dìng v. to subscribe

3. 信箱 xìnxiāng n. mailbox

抢着读。读了它，你就知道谁是世界上最高的人、谁是世界上最重的人。报纸上有很多彩色[4]的照片和漫画[5]，非常漂亮。我一个人的时候，喜欢读报纸；睡觉前也喜欢读报纸，因为有时候我玩得太兴奋了，睡不着觉，读着读着，我就睡着了。读完的旧报

4. 彩色 cǎisè n. multicolor

5. 漫画 mànhuà n. cartoon

纸，我舍不得扔，就送给我的同学，他们也都很喜欢读。妈妈常常让我们读报纸上的句子，我和弟弟的阅读能力都有了很大的进步。

你想订这份报纸吗？我相信你一定会喜欢它。

 练习 Exercises

一、选出正确答案。Choose the right answer.

今天“我”给大家__1__一份报纸，它的名字叫《日报》，它是一年前妈妈给“我”订的。报纸的__2__非常丰富，每天“我”和弟弟都__3__着阅读。有时候“我”玩得太__4__了，睡不着觉，“我”就会读报纸，读着读着就睡着了。你想订这份报纸吗？“我”__5__你一定会喜欢它。

1. A. 介绍	B. 报告	C. 表明	D. 表达
2. A. 内容	B. 内部	C. 功能	D. 观点
3. A. 抢	B. 打	C. 取	D. 吵
4. A. 兴奋	B. 激动	C. 伤心	D. 难过
5. A. 信任	B. 确认	C. 确定	D. 相信

二、选出正确答案。Choose the right answer.

1.《日报》是给哪些人看的？（　　）

A. 阅读能力差的人　　B. 十到十二岁的小孩

C. 大学生　　D. 大人

2. 下面哪项不是报纸里的内容？（　　）

A. 故事　　B. 新闻

C. 笑话　　D. 阅读练习

3. 下面哪项不是“我”读报纸的时间？（　　）

A. 一个人的时候　　B. 睡不着的时候

C. 睡觉之前　　D. 上课的时候

4. 读完的报纸，“我”会怎么处理？（　　）

A. 卖掉　　B. 扔掉

C. 送给同学　　D. 送给弟弟

5. “我”和弟弟的阅读能力是怎么进步的？（　　）

A. 看电影　　B. 读报纸

C. 看电视　　D. 多做作业

三、说说你学习外语的好方法。

Talk about a good way of yours to learn a foreign language.

我的中文学校

My Chinese School

侯巽子　美国泽维尔大学孔子学院

04

我的中文学校景色很美，学校门前有一片很大的操场，操场周围长满了绿树。大树后面漂亮的四层楼，就是我的中文学校。

我每个星期天下午都去中文学校上课。我很喜欢学汉语，但是我的汉字[1]写得不太好。有一次妈妈让我写日记，我说我不会写字，妈妈让我放松，随便写，不会写的字就空在那里，结果我

1. 汉字 Hànzì　p.n. Chinese character

有很多字不会写，一张纸[2]上都是空格[3]。我最喜欢读汉语，上课的时候老师经常让我读，我认识很多字，读得很好，还在学校举办的“读汉语”比赛中得了第一呢！

中午休息的时候，我们可以在学校的商店里买吃的，那儿的蛋糕很好吃，每次下课我们都排着长长的队，买自己想要的蛋糕，然后和好朋友一起吃，可开心了。学校还卖饼干、巧克力，但是我觉得学校应该卖些更有营养的东西，比如水果。

放学[4]后，我们学校还有一些活动，比如画画、剪纸[5]、跳舞等等，我最喜欢的是剪纸。在

2. 纸 zhǐ n. paper

3. 空格 kònggé n. blank space

4. 放学 fàngxué v. classes are over

5. 剪纸 jiǎnzhǐ v. paper cutting

这些活动中我学会了很多东西，不过我希望学校增加一些体育活动，比如足球、羽毛球等。

我爱我的中文学校。我觉得我和我的中文学校都需要一些改变，都可以变得更好。

练习 Exercises

一、选出正确答案。Choose the right answer.

“我”的中文学校__1__很美，学校门前有一__2__很大的操场，操场__3__长满了绿树。树木后面漂亮的四__4__楼，就是我们的中文学校。“我”喜欢读汉语，还在学校__5__的“读汉语”比赛中得了第一呢！

1. A. 景色　　B. 情景　　C. 背景　　D. 表面
2. A. 片　　B. 篇　　C. 场　　D. 层
3. A. 全面　　B. 对面　　C. 方面　　D. 周围
4. A. 层　　B. 张　　C. 片　　D. 个
5. A. 举办　　B. 举起　　C. 引起　　D. 发生

二、选出正确答案。Choose the right answer.

1. “我”什么时候去中文学校上课？（　　）
   A. 星期一到星期五　　B. 每天下午
   C. 星期天下午　　D. 每天晚上
2. 学校的商店里什么东西很好吃？（　　）
   A. 饼干　　B. 蛋糕　　C. 巧克力　　D. 水果
3. “我”觉得学校应该卖一些什么东西？（　　）
   A. 便宜的东西　　B. 好吃的东西
   C. 有营养的东西　　D. 贵的东西

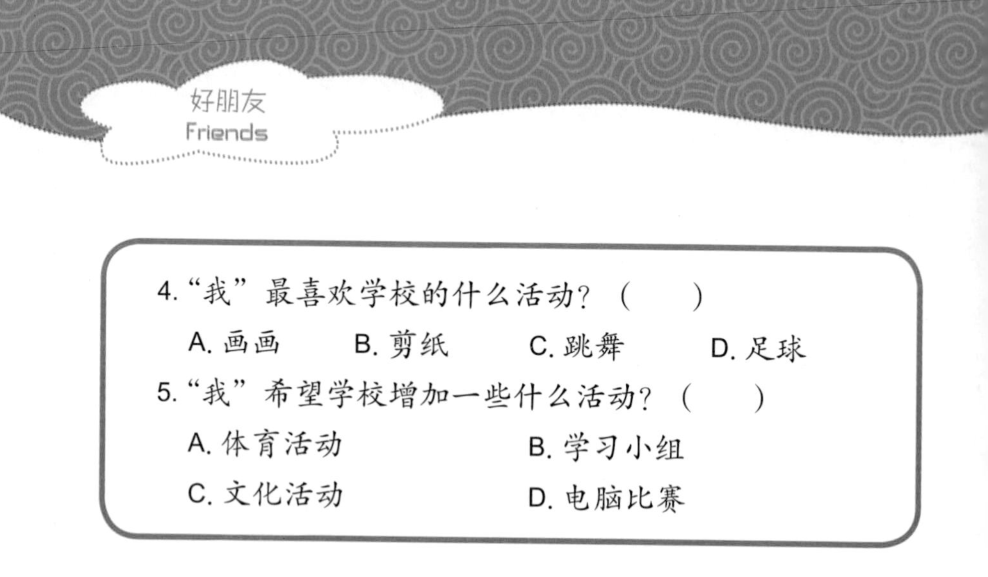

4.“我”最喜欢学校的什么活动？（　　）

A. 画画　　B. 剪纸　　C. 跳舞　　D. 足球

5.“我”希望学校增加一些什么活动？（　　）

A. 体育活动　　B. 学习小组

C. 文化活动　　D. 电脑比赛

三、介绍一下你的学校。
Introduce your school.

晚上的光明

The Light in the Night

秦安琪　美国旧金山州立大学孔子学院

仔细观察月亮，会看到什么？
What will you see if you take a close look at the moon?

05

我每天晚上进屋以前，都要往天上看一看。当我看到又漂亮又明亮[1]的月亮的时候，似乎所有的声音都静了下来。

傍晚的时候，月亮就出来了。刚出来时，月亮是浅白色的。过了几分钟，太阳下去了，月亮就升起来了。在黑暗[2]的夜里，月亮就像太阳一样发着光，天上的星星一下变得黯淡[3]了。月亮就是这样在晚上照亮了世界。

1. 明亮 míngliàng adj. bright
2. 黑暗 hēi'àn adj. dark
3. 黯淡 àndàn adj. dim

有时候，人们需要在晚上出去。打开手电[4]——糟糕！没电了！但你出门一看，外面还是挺亮的！抬起头，就知道是月亮带来了光明。

有时候，月亮只是个月牙儿[5]。这时候，月亮没有那么亮。过了几天，月亮没了，等它再出现时，就是新月[6]了。再过三四天，

4. 手电 shǒudiàn n. flashlight

5. 月牙儿 yuèyár n. crescent moon

6. 新月 xīnyuè n. new moon

新月又变成了月牙儿，再过七八天，月牙儿变成了一个圆圆的、白色的盘子。

如果你仔细地观察月亮，你会看到月亮上的坑[7]，这些坑让月亮看起来就像一张微笑的脸。走在黑暗的夜里，月亮就是你的朋友，它对你说："不要害怕，我会陪着你走。"月亮就是晚上的光明。

7. 坑 kēng n. pit, hole

练习 Exercises

一、选出正确答案。Choose the right answer.

__1__的时候，月亮就出来了。过了几分钟，当太阳下去时，月亮就__2__起来了。在黑暗的夜里，月亮就像太阳__3__发着光，天上的__4__一下子变得黯淡了。月亮就这样，在晚上照亮了__5__。

1. A. 早上　B. 中午　C. 下午　D. 傍晚
2. A. 生　B. 降　C. 落　D. 升
3. A. 一样　B. 一个　C. 一起　D. 一切
4. A. 灯光　B. 月亮　C. 太阳　D. 星星
5. A. 地面　B. 人民　C. 家庭　D. 世界

二、选出正确答案。Choose the right answer.

1. “我”每天进屋之前都要看看什么？（　　）
   A. 星星　B. 太阳　C. 月亮　D. 地球
2. 每当“我”看到月亮的时候，“我”感觉怎么样？（　　）
   A. 世界很安静　B. 心情很不好
   C. 心里很难过　D. 没有感觉
3. 刚升起来的时候，月亮是什么颜色的？（　　）
   A. 浅黄色　B. 浅蓝色　C. 浅红色　D. 浅白色

4. 仔细观察月亮，会觉得月亮像什么？（　　）

A. 微笑的脸　　B. 勺子

C. 碗　　D. 杯子

5. 黑暗的夜里，月亮就像你的什么？（　　）

A. 盘子　　B. 坑

C. 明亮的星星　　D. 朋友

三、说说你晚上都会做什么。

Talk about what you usually do in the night.

可爱的青蛙[1]

The Cute Frogs

姜珍珍　美国旧金山州立大学孔子学院

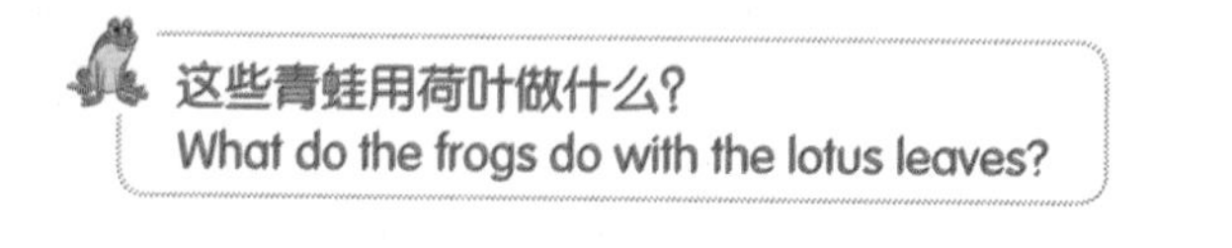

06

我家旁边的公园里有许多可爱的青蛙，我每天都会去公园看它们。

青蛙总是坐在荷叶[2]上，睁着眼睛寻找食物。青蛙的眼睛很大，当我仔细地观察它们的时候，经常会觉得不知道什么时候，它的眼睛就会蹦[3]出来。青蛙的身体是深绿色的，藏在绿色的荷叶里，如果你不仔细看，很难发现。青蛙有两条强壮[4]的后腿，可以蹦得很高很高。

1. 青蛙 qīngwā n. frog
2. 荷叶 héyè n. lotus leaf
3. 蹦 bèng v. to jump, to spring
4. 强壮 qiángzhuàng adj. strong

池塘里有许多荷叶，是青蛙“锻炼”用的。青蛙锻炼的时候，会从一片荷叶跳到另一片荷叶，而且跳得很准，像马戏团[5]的演员一样。

有一次我看见一只很可爱的小青蛙，开始的时候它安静地坐着，突然它的舌头[6]一下吐出来，吃掉了一只蚊子[7]。

5. 马戏团 mǎxìtuán n. circus

6. 舌头 shétou n. tongue

7. 蚊子 wénzi n. mosquito

每天晚上我睡觉的时候，青蛙就会在外面“呱呱[8]”地叫，我不会怪[9]它们吵，我会谢谢它们吃掉了蚊子，让我能舒服地睡觉。

现在城市里的青蛙慢慢少了，我们应该多关心它们、帮助它们。

8. 呱呱 guāguā ono. croak

9. 怪 guài v. to blame

练习 Exercises

一、选出正确答案。Choose the right answer.

青蛙的__1__很大，当“我”仔细地__2__它们的时候，经常会觉得不知道什么时候，它的眼睛就会__3__出来。青蛙的身体是深绿色的，__4__在绿色的荷叶里，如果你不__5__看，很难发现。

1. A. 嘴巴　B. 眼睛　C. 鼻子　D. 后腿
2. A. 分析　B. 检查　C. 参观　D. 观察
3. A. 吐　B. 蹦　C. 走　D. 爬
4. A. 藏　B. 埋　C. 蹲　D. 爬
5. A. 仔细　B. 尽量　C. 详细　D. 尽力

二、选出正确答案。Choose the right answer.

1. 池塘里的荷叶是青蛙用来做什么的？（　　）
   A. 锻炼　B. 睡觉　C. 吃饭　D. 表演
2. 青蛙为什么能跳得很高？（　　）
   A. 后腿强壮　B. 前腿强壮
   C. 眼睛大　D. 舌头长
3. 小青蛙安静地坐着是要做什么？（　　）
   A. 休息　B. 睡觉　C. 抓蚊子　D. 锻炼

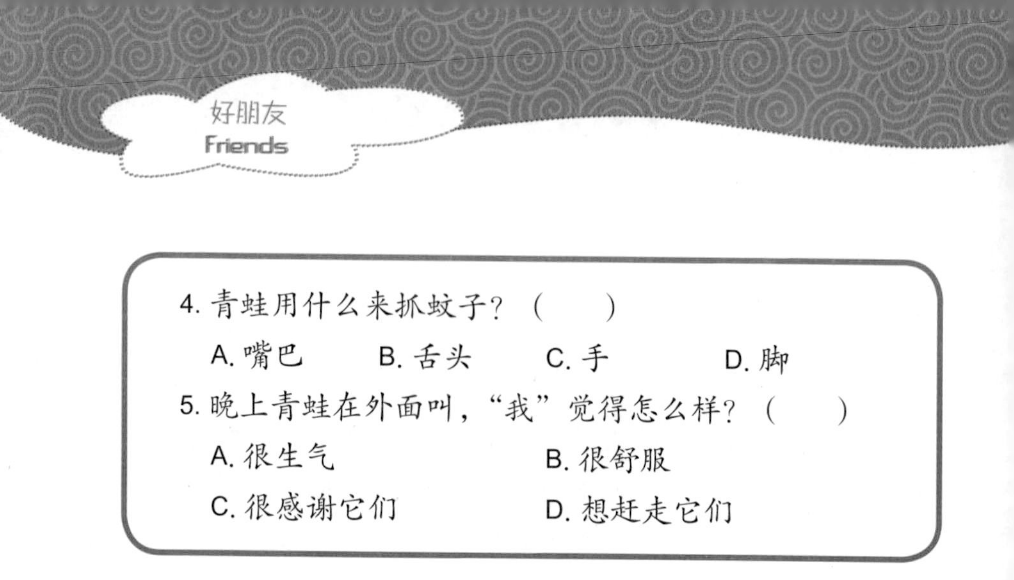

4. 青蛙用什么来抓蚊子？（　　）

A. 嘴巴　　B. 舌头　　C. 手　　D. 脚

5. 晚上青蛙在外面叫，“我”觉得怎么样？（　　）

A. 很生气　　B. 很舒服

C. 很感谢它们　　D. 想赶走它们

三、介绍一种你熟悉的动物。
Introduce an animal you are familiar with.

和朋友过春节[1]

Spending the Spring Festival with Friends

李丽娅　乌克兰基辅国立大学孔子学院

除夕夜里十二点的时候，大家要做什么？
What do people do at 12 o'clock at night on the Spring Festival Eve?

07

中国的新年[2]，也叫春节，是中国人最重要的节日。今年我终于有机会可以和我的中国朋友一起过春节！

除夕这天我来到他家，他的家里到处都是红色——红灯笼[3]、红春联[4]、红“福”字。朋友告诉我一个关于中国春节的传说：从前，有一个叫“年”的怪物[5]，经常在除夕跑出来吓人。后来大家知道了“年”很怕红色的东西和巨大的声音，比如一个红苹果

1. 春节 Chūnjié p.n. Spring Festival
2. 新年 xīnnián n. New Year
3. 灯笼 dēnglong n. lantern
4. 春联 chūnlián n. Spring Festival couplet
5. 怪物 guàiwu n. monster

就能吓跑它。于是人们就想了一个办法，就是在过春节的时候在家里放满红色的东西，还要放鞭炮。

在除夕夜里，大家都不睡觉，全家人一起“守岁[6]”。关于“守岁”也有一个传说：有一个叫“岁”的怪物，遇到小孩子时就会施法[7]把小孩子变笨。有一年新年的时候，一个人给了他儿子一点儿钱。后来他的儿子遇到了“岁”，没想到“岁”见了钱就吓跑了。所以除夕的时候大家就都不睡觉了，保护小孩子，小心“岁”的到来，也会给孩子一些钱，这些钱就叫“压岁钱[8]”。

除夕的晚上，大家一起包饺

6. 守岁 shǒusuì v. to stay up late on the Spring Festival Eve

7. 施法 shī fǎ to conjure, to use magic

8. 压岁钱 yāsuìqián n. lucky money, money given to children as a New Year gift

子、看电视。夜里十二点，我们开始放鞭炮、吃饺子，吃完饺子以后，我们接着看电视，一直到天亮。

虽然一夜没睡，我还是很兴奋，和朋友一起过春节，让我了解了更多的中国文化，对中国也更多了一些向往[9]。

9. 向往 xiàngwǎng
v. to yearn for

练习 Exercises

一、选出正确答案。Choose the right answer.

今年“我”有 __1__ 和“我”的中国朋友一起过春节。除夕这天“我”来到他家，他的家里到处都是 __2__ ——红灯笼、红春联、红“福”字。朋友告诉“我”关于中国的春节有一个 __3__ ：从前有一个叫“年”的怪物，经常在除夕跑出来吓人。后来大家知道了“年”很怕红的东西和巨大的声音，比如一个 __4__ 就能吓跑它。后来人们就想了一个 __5__ ，就是在过春节的时候在家里放满红色的东西，还要放鞭炮。

1. A. 想法　B. 机会　C. 时期　D. 办法
2. A. 装饰品　B. 礼物　C. 东西　D. 红色
3. A. 传说　B. 说法　C. 传统　D. 流传
4. A. 绿苹果　B. 黄苹果　C. 青苹果　D. 红苹果
5. A. 办法　B. 方式　C. 方法　D. 方案

二、选出正确答案。Choose the right answer.

1. 中国人最重要的节日是什么？（　　）
   A. 教师节　B. 中秋节　C. 圣诞节　D. 春节

2. 下面哪项不是新年时大家会在家里摆放的东西？（　　）

A. 红春联　　B. 红“福”字

C. 红灯笼　　D. 红饺子

3. 叫“岁”的怪物会做什么？（　　）

A. 吃小孩　　B. 抢小孩钱

C. 让小孩变笨　　D. 吓小孩

4. 除夕夜里大家会给孩子什么？（　　）

A. 包子　　B. 钱　　C. 灯笼　　D. 苹果

5. 下面哪项不是除夕夜里大家会做的事情？（　　）

A. 守岁　　B. 放鞭炮　　C. 散步　　D. 包饺子

三、说说你们国家怎样过新年。

Talk about how you celebrate the New Year in your country.

最难忘[1]的旅行

The Most Unforgettable Trip

Ashley Chu　美国明尼苏达大学孔子学院

这次旅行"我"学到了什么？
What have "I" learned during the trip?

08

去年十一月，我们一家人去"环球影城[2]"玩了四天。

我们坐了很久的飞机才到。坐飞机实在太累了，所以到达的第一天，我们什么事都没做，就在宾馆里休息。宾馆很舒服，那个晚上，我们都睡得很好。第二天我们很早就起来了，兴冲冲[3]地去了哈利·波特[4]主题公园。可是弟弟才两岁，很多项目不能玩，所以妈妈一直陪着他。爸爸

1. 难忘 nánwàng v. to be unforgettable
2. 环球影城 Huánqiú Yǐngchéng p.n. Universal Studios
3. 兴冲冲 xìngchōngchōng adj. excited
4. 哈利·波特 Hālì·Bōtè p.n. Harry Potter

陪我玩了很多次过山车[5]。

第二天，我们去了专门为我弟弟那么大的孩子设计的主题公园，我陪弟弟玩了小孩的过山车。弟弟特别喜欢旋转木马[6]，所以他一直玩，玩了大概十次。公园有很多好玩的糖果店[7]，很吸引我们，妈妈给我们买了很多糖。

第三天，我们决定看看有什么新鲜的东西，于是我们到了一个特别的电影院。在那儿，我知道了电影是怎么拍的，让我印象深刻。接着，我们到了恐龙[8]主题公园，我和弟弟在那里"孵[9]出"了一个恐龙蛋，还给小恐龙起了名字。

5. 过山车 guòshānchē n. roller coaster

6. 旋转木马 xuánzhuǎnmùmǎ n. merry-go-round

7. 糖果店 tángguǒdiàn n. candy shop

8. 恐龙 kǒnglóng n. dinosaur

9. 孵 fū v. to brood, to hatch

最后一天，我们又去了一次哈利·波特主题公园。那天是星期一，人少了很多，所以本来要排两个小时队才能玩到的项目，我们只排了半个小时。我们在哈利·波特的学校里，玩了公园里最长的过山车，实在太好玩了！

回家前，我和弟弟都买了纪念品[10]，我买的是恐龙蛋——当

10. 纪念品 jìniànpǐn n. souvenir

然是假的。回家以后，我还想再去那里玩。这次旅行，我学到了拍电影的知识，知道了恐龙是怎么生活的，还知道了弟弟喜欢和不喜欢的东西，和爸爸、妈妈在一起也很开心。每次想到这次旅行，我都忍不住说："那真是我最难忘的旅行！"

练习 Exercises

一、选出正确答案。Choose the right answer.

我们坐了很__1__的飞机才到。坐飞机__2__太累了，所以__3__的第一天，我们什么事都没做，在宾馆里__4__。宾馆很__5__，我们睡得很好。

1. A. 长　B. 大　C. 久　D. 远
2. A. 实在　B. 确定　C. 太　D. 非常
3. A. 到达　B. 达到　C. 前往　D. 到来
4. A. 看书　B. 休息　C. 做游戏　D. 看电视
5. A. 舒服　B. 安心　C. 适合　D. 漂亮

二、选出正确答案。Choose the right answer.

1. 到的第一天，我们做了什么？（　　）
   A. 去主题公园　B. 坐过山车
   C. 看电影　D. 在宾馆休息
2. “我”弟弟特别喜欢什么？（　　）
   A. 宾馆　B. 恐龙
   C. 旋转木马　D. 看电影
3. 我们去了几次哈利•波特主题公园？（　　）
   A. 没去　B. 一次　C. 两次　D. 很多次

4. 第三天我们做了什么？（　　）

A. 玩过山车　　B. 看电影是怎么拍的

C. 买糖果　　D. 逛街

5.“我”买了什么纪念品？（　　）

A. 糖果　　B. 过山车　　C. 恐龙蛋　　D. 牛仔裤

三、说说你最难忘的一次旅行。

Talk about your most unforgettable trip.

我爱熊猫

I Love Pandas

Marco　英国伦敦中医孔子学院

"我"将来想做什么？
What do "I" want to do in the future?

09

我学习汉语才一年半，但喜欢熊猫却足足有四年了。马上就要过年[1]了，今年中国送给我们国家——英国[2]的礼物真是太给力[3]了。注意！是两只熊猫！是两只！因为中国人讲究好事成双[4]呀！

你们猜熊猫最大的烦恼是什么？对了！熊猫最大的烦恼是不能拍彩色[5]照片。就因为这个烦恼，熊猫天天睡不好，黑眼圈[6]

1. 过年 guònián v. to celebrate the New Year
2. 英国 Yīngguó p.n. Britain
3. 给力 gěilì adj. awesome
4. 好事成双 hǎoshì-chéngshuāng good things should be in pairs
5. 彩色 cǎisè n. multicolor
6. 黑眼圈 hēiyǎnquān n. dark circles around the eyes

越来越大。熊猫毛茸茸[7]的，胖胖的，非常友好，也许这就是熊猫成为“亲善大使[8]”的原因吧。

我上网一看，大熊猫重一百多公斤，我的天啊，比我和我爸爸加在一起还重，一定是包子吃多了！啊！大家别被电影《功夫熊猫》骗了，熊猫不吃包子，主要吃竹子。

我太喜欢熊猫了，所以非常

7. 毛茸茸
máoróngróng
adj. hairy, downy

8. 亲善大使
qīnshàn dàshǐ
goodwill ambassador

担心中国送给英国的这两只熊猫。它们会不会想家呢？要是英国有很多熊猫就好了，可惜熊猫太少了，而且快要灭绝[9]了，太可怜了。

我希望将来能成为一名科学家，克隆[10]很多熊猫，让每个国家、每个城市都有熊猫，让熊猫和人类一起快乐生活！

9. 灭绝 mièjué v. to die out

10. 克隆 kèlóng v. to clone

练习 Exercises

一、选出正确答案。Choose the right answer.

__1__ 就要过年了，中国送给英国一份 __2__ ——两只熊猫！“我”非常 __3__ 它们，它们会不会想家呢？世界上的熊猫太少了，太 __4__ 了。“我”希望 __5__ 每个国家、每个城市都有熊猫，让熊猫和人类一起快乐生活！

1. A. 立刻　B. 马上　C. 快　D. 快要
2. A. 事物　B. 动物　C. 礼物　D. 东西
3. A. 不安　B. 可惜　C. 担心　D. 放心
4. A. 可惜　B. 遗留　C. 可怕　D. 珍惜
5. A. 过去　B. 将来　C. 以来　D. 后来

二、选出正确答案。Choose the right answer.

1. “我”喜欢熊猫多长时间了？（　　）
   A. 一年半　B. 一年　C. 三年　D. 四年
2. 熊猫最大的烦恼是什么？（　　）
   A. 只能拍黑白照片　B. 总是睡不好
   C. 不喜欢拍照　D. 吃不习惯

3.“我”觉得熊猫成为“亲善大使”的原因是什么？（　　）

A. 睡不好　　B. 非常友好

C. 是中国送来的　　D. 有黑眼圈

4. 熊猫主要吃什么？（　　）

A. 包子　　B. 肉　　C. 竹子　　D. 米饭

5.“我”的愿望是什么？（　　）

A. 有很多熊猫　　B. 让熊猫吃包子

C. 和熊猫拍照　　D. 天天看到熊猫

三、介绍一部你喜欢的电影。
Introduce a movie you like.

小白球背后的故事

The Story behind the Small White Ball

Vinh-Hop Ngo　美国马萨诸塞州大学（波士顿）孔子学院

有哪些因素可能影响高尔夫球比赛的结果？
What factors may affect the results of a golf match?

10

夏天烈日当空[1]，谁不想坐在有空调的房间里看电视呢？可是我却选择在烈日下专心地练习高尔夫球[2]。也许有人会觉得我疯了。我也常常问自己，为什么会这样？为了这个小白球，我不知道吃了多少苦[3]，但是我从来没想过放弃，我深深地爱上了高尔夫球！

我发现中国的传统文化对做一名优秀的高尔夫球员[4]很有帮助。

1. **烈日当空** lièrì-dāngkōng the hot sun is high in the sky
   烈日 lièrì n. hot sun
2. **高尔夫球** gāo'ěrfūqiú n. golf
3. **吃苦** chīkǔ v. to bear hardships
4. **球员** qiúyuán n. (ball) player

中国人常说“冰冻三尺，非一日之寒[5]”，我也常常告诉自己，要成为一名好球员，要坚强，要勤奋。因此无论是炎热[6]的夏天，还是寒冷[7]的冬天，我都坚持练球，夏天每天要练四五个小时。有很多次，我真想回家凉快凉快，家里的空调就像一块吸铁石[8]一样吸引着我，可是我忍住了。

中国有句话叫“三思而后行[9]”，也可以用在打高尔夫球上——在决定下一步把球打到哪个地方之前，要充分考虑风的方向和大小、草的长短和球的位置。这些都会影响打球的结果，而每一个小小的因素，都会决定

5. 冰冻三尺，非一日之寒 bīng dòng sān chǐ, fēi yí rì zhī hán Rome was not built in one day

6. 炎热 yánrè adj. hot

7. 寒冷 hánlěng adj. cold

8. 吸铁石 xītiěshí n. magnet

9. 三思而后行 sān sī ér hòu xíng to look before you leap

比赛的胜负[10]。所以，想好了再做决定是非常重要的。

“尊重别人”是中国人的传统美德[11]之一，在高尔夫球场上，这些美德和球技[12]一样重要。在球场上要为其他球员着想[13]，不应该影响别人打球。

“谦虚”也是一种美德，谦虚使人进步，只有谦虚，才能看到自己需要改进的地方，才能取

10. 胜负 shèngfù n. victory or defeat, result

11. 美德 měidé n. virtue

12. 球技 qiújì n. skill in playing a ball game

13. 着想 zhuóxiǎng v. to consider

得更好的成绩。

高尔夫球虽然不是中国人发明的，但是我觉得中国的传统文化却是高尔夫运动的精神所在，对球员取得好成绩有很大的帮助。

练习 Exercises

一、选出正确答案。Choose the right answer.

在决定下一步把球打到哪个地方之前，要___1___风的方向和大小、草的长短和球的___2___。这些都会___3___打球的结果，而每一个小小的___4___，都会决定比赛的胜负。所以，想好了再做___5___是非常重要的。

1. A. 思考	B. 想	C. 考虑	D. 检查
2. A. 位置	B. 地方	C. 地点	D. 方向
3. A. 产生	B. 导致	C. 决定	D. 影响
4. A. 原因	B. 因素	C. 成分	D. 构成
5. A. 决心	B. 确定	C. 打算	D. 决定

二、选出正确答案。Choose the right answer.

1. 夏天“我”每天要练习几个小时的球？（　　）

A. 两个小时　　B. 三个小时

C. 四五个小时　　D. 五六个小时

2. “我”为什么不想放弃高尔夫球？（　　）

A. 成绩好　　B. 很喜欢

C. 没别的事做　　D. 有朋友的鼓励

3. “冰冻三尺，非一日之寒”用在打球上指什么？（　　）

A. 要在冬天打球　　B. 要坚持

C. 要在夏天打球　　D. 要选好天气

4. “三思而后行”用在打球上指什么？（　　）

A. 要练习三次　　B. 每天都要练习

C. 要考虑很多因素　　D. 要发球三次

5. “尊重别人”用在打球上指什么？（　　）

A. 不能影响其他球员　　B. 要让别人赢

C. 要有礼貌　　D. 不要打别人的球

三、说说你喜欢的一项运动。
Talk about a sport you like.